또 하나의 이야기

이 미 라

늘 감사하고
행복했습니다.
이책이 작은 기쁨이
되어 드린다면
참 기쁠것 같아요.

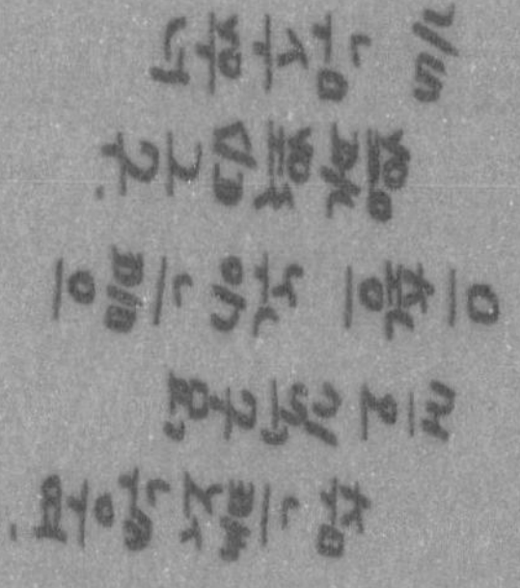

또
하나의
이야기

LEE MI RA SPECIAL EDITION
또
하나의
이야기
2
이미라
학산문화사

또 하나의 이야기 2권 9

띵
제…, 젠장, 이게 뭐야.
왜 니더러 농구를…,
그것도 반 대표로
뛰라는 거야?
오랜만에 학교 오니까
더 힘든데!!

하! 민제 녀석,
드디어
내가 알던 민제로
돌아왔네….
재가 며칠 전
날아다니던
그 애야?
본모습으로
돌아갔네.
서민제 맞니?
민제….
저거야.
저 모습이야 말로
내가 보고 싶던
서민제다.

저게 내가 계획하고 연출했던 바로 그 장면이지!
불쌍한 호동왕자….
아…, 그동안은 저 녀석에게 마법이 씌어 있었던 거야.
그… 그러니까 고… 공주, 우리가 맹세한 바… 대로….
내 의도는 결코 실패했던 게 아냐. 기쁘다…, 정말 기쁘다!
나를 기쁘게 하는 저 장면을 보며 어찌 아니 기쁠쏘냐.
비틀.

하루 사이에 180도
바뀌다니….
결국 저게
본모습이었나?

교제를
서두르지 않아
천만다행이다.

흐느적

싸악…

부장, 여기
고백 장면에서….

내가 그렇게
돋보였었냐?
민제, 너 왜 그래?
어디 아프냐?
네가 한 일을
나한테 물어?
힝~.
얄미운 한빛 형.
그렇게 티를 내면 어떻게 해.
괜히 내가 더 초라하게
보이잖아….
하지만 난
네 원상복귀가
완전 좋아.
우ㅡ히
그땐 진짜
내 친구 같지가
않더라.

나한테만
살짝 말해봐,
서민제.
뭘?
지금의 내가
좋다면서
그건 왜
묻는 건데!!
어떻게
찌질이에서
능력남으로
변신할 수
있었던 거야?
아니, 나도
해보고 싶다는 건
아니고….
정 알고 싶거든
널 꼭 닮은
능력자를 데려와.
그럼 가르쳐줄게.
야—!
그게 뭐야?
같이 가, 서민제.

빛나는 태양을
본 후
눈에 들어온
촛불 하나….
얼마나 초라하고
한심했을까.
너무 의기소침하지 마.
힘내라고.
그대로 두었으면
촛불의 빛이라고
느꼈을 텐데…
이젠 반딧불로도
안 보일 거야.
떠벌 떠벌
이 엄청난 파편..
앞으로가
막~막
하구만.
유채의
그 끔찍해하던
눈초리라니….
어쩌자고 내가
연극부에 들어갔을까?

유채까지도 내게
잘 보이고 싶어 했잖냐?
네 소원이 이루어질
찰나였는데.

아무 생각 말자.
지금은 가서 잠이나 자고…
그리고 다시 생각하자.
푸
욱…

홍주희?
저…어기….

나 불렀니?

나는…,
오늘 네 모습
싫지 않았어.
실수는
많았지만,
너다운 점도
좋았어.

나다운 게 뭔데?!
네가 나를 얼마나
잘 안다고?!
매일
멍청하게
실수나 하고
손가락질이나
당하는 게 나야?!

언제나 그렇게
쓰레기 같은 내가
당연하다는 거야?!

왜 스스로를
그렇게
비하하는 거야?
너는 누구보다
친절하고 상냥한
사람인데.
쓰레기라니…,
그런…, 난 한 번도
그런 생각은….
내, 내가 말하려는 것은…
그런 게….
겉으로 보이는
모습만이 전부가
아니라는 걸
나는 알아!
널 좋아하니까!
전부터 계속 그런 네가
좋아서 나는―!
뭐?

네가 전학 온 지
얼마 안 된
무렵이었던 것 같아.
곤경에
처해 있던
나와 할머니께
그 친절이
얼마나
고마웠었던지….
그 후로 한 번씩 너를
훔쳐보다 알게 됐어.
네가 얼마나
좋은 사람
인지를….
숫기가
없어서인지
실수도 하곤
했지만….
감미로운
회상 장면에
너무너무
안 어울리는
모양새다.

네 장점을
나만 알고 있다고
생각하니 더 좋았어.
그랬는데… 최근의 넌
마치 다른 사람처럼….
저어….

…….
그래서 기쁘면서도
허전했나 봐.
뭔가… 소중한 무언가를
놓친 것 같기도 했고….
…아냐, 생각해보니
네 말대로 너에 대해
잘 모르면서
아무 말이나 해서
널 불쾌하게 한 것도 같아.

기분 상하게 해서
미안해!
홍주희—!

실상은…
스스로에게 화난 거면서
딴 사람을 비난하다니….
난 정말 최악이야.

저….

NIKI
CAFÉ NIKI
쌍둥이네.
오~, 잘생긴 쌍둥이다.
어디서 본 것 같기도 하고….
그래서 말이죠…, 진짜 속상했다고요.
형! 듣는 거예요?
응?
아…, 그래. 잠깐….

네 말의 요지는 다 알겠어.
매니저가 무섭고 이상하다,
노래 연습이 지옥이다,
학교에서의 내 행동 때문에
네가 더 이상한 꼴이 되었다…
뭐 그런 말이잖아?
맞아요.
근데 도대체 뭐가
문제라는 거지?
아이씨~!
전부 다요!
총체적
문제잖아요!!

매니저 문제는 해온 대로
사인 안 하면 되고, 노래도
굳이 잘 부르려 하지 말고
노는 기분으로 부르면 되고,
학교 일은 나중에 네가 돌아와서
내가 해온 것처럼 당당하게
행동하면 되는 거잖아?
네 어디가 부족해서 매사
그렇게 주눅들어 지내는지
난 잘 모르겠다?
그 성적에 그 얼굴을
하고서 말이야.
……그…,
그런가요?

그래, 이 기회에
서민제의
분위기를
일신하는
거야.
일생을
그렇게 살래?
그건 싫잖아?
하지만…
난….

넌 할 수 있어.
자신을 못 믿겠다면
내 눈을 믿어봐.
YOU CAN!
FIGHTING!
그…럴까?
내가 할 수 있을까?

…라곤 했지만 역시 노래만은….
분명히 아프다
이거지?
정확하고 확실하게…
틀림없이 아프다
이거지?
그럼요.
비싼 밥 먹고 할 일 없어서
꾀병을 부릴까요?
끙
끙

그러니까
그 긴 휴식 시간엔
안 아프다가 어제부터
연습에 들어가니까
아프다 이거지?
그…,
그런 얘기죠!
하—.
진짜 누가 봐도
꾀병이란 게
보이지만…
연습을 피하려면
어쩔 수 없지, 뭐….
형—,
미안해.
으이그~,
이걸 그냥~!
좋아!
오늘은 푹 쉬고
내일 병원에
같이 가보자!
엑!

벼, 병원까진
안 가도 되고…
며칠만 쉬면
되는데…요.
안 돼—!
헉
흐 흐흐
너처럼 귀한 분이
아프다는데 어찌
모른 척하냐?

그러니 혹시라도
큰 병이 아닌지
정말 검진을 받아보자.
나 간다.
쾅

아~, 어쨌거나
또 얼마간의 시간을
벌어놨으니 맘 놓고
푹 놀아볼까나?
병원 가면 금방
들통날 텐데…
어쩐다?
아냐, 끝까지
빠득빠득
우겨야지.
죽도록
아프다고.
NES?
아우~웅
응?
매니저가
잡지를 두고 갔네.
NES?
회전식 간이탁자♡
몽룡이도
갖고 싶어….

뭔가 재미있는
기사가 있으려나?
헤…?
이 아줌마 또
바람 피웠나…?
탤렌트 김미희씨
모 ΔX 가수와 염문설
히야…,
정말 부럽다.
이렇게 예쁘니
남자들이 그렇게
모여들지….
나이가 들어도
말이야.
한편,
민제의 학교에서는….

와아!
꺄아~
으~
어쩜~! 어쩜~! 저렇게 멋있어도 되는 거야?
작은 움직임도 다른 애들과 느낌이 달라.
왜 수시로 능력자 모드가 되는 건데?
여자애들 그만 좀 홀려라.

멋진 민제가
돌아왔어.
다시 봐도
움직임 하나하나가
예술이다.

정말 저 사람이
어젯밤 그 사람일까?
이게 뭐예요?
엄마 아빠 아시면
난리 날 텐데….
괜찮아.
조금… 마셨어.
이대로 조금만 있게
해줄래…?
조금만….
어제…
무슨 일이 있었기에….
민제와 바꿀 수 없는
중요한 일이 뭘까?

핫!
나도
자기 추종자인 줄 아나?
천만의 말씀이야.
뭐, 뭐야.
쳇
내가 좋아하는
사람은
따로 있다고.
민제,
여기 손수건.
아…, 고마워.
내가…,

늘 꿈꾸는 풍경은
따로 있는데….
이상하지…?
왠지 그 애가
생각난다.
그 애는…
울었을까?
딩 동
누구지,
이 시간에….

누구세요?
벌컥
앗?
기… 김미희?
잘 있었니?

매니저에게
전화했더니…
네가 아프다고
해서 왔단다.
히야~,
가까이서 보니
더 미녀잖아.
과연 여신이라
불리던 배우답네.
얼굴색을 보니
큰 병 같지 않아
안심했다.
헉ㅡ
엥?
한빛 형이랑
아는 사이였어?
어… 어쩌지?
한빛 형이나…
매니저도…
이 분에 대해
아무 말도
없었는데.

저어….
아무리 엄마가 밉다지만 이렇게 문 밖에만 세워둘 거니?
엥…? 어… 엄마!!

확실히…
꾀병은 아니군.
저번엔 이름도 못 꺼내게 하더니… 저러는 걸 보면 분명 제정신은 아니야.
이럴 때 사인을 받아야 하는데….
하지만 지금은 말고…. 내일 꼭 받아내자.

휴! 이젠 질문은 그만.
그걸 다 대답하려니
숨이 차는구나.
헤…, 죄송해요.
제가 좀 심했네요.

나에 대한 생각이
많이 바뀐 줄 알았다면
좀 더 빨리
방문했을 텐데…,
미안하구나.

괘, 괜찮아요,
이해해요.
음료수라도
한 잔 가져올게요.

실수했다.
한빛 형이랑 사이가
안 좋은 줄 알았다면
그렇게 촐랑대지
않았을 텐데….
나중에 형한테
혼 좀 나겠는데….
어?
매니저가
두고 간 거예요.
뭐 재미있는 거
있어요…?
너도
이걸 믿니…?

옛?
하하… 하.
뭐… 그렇죠….
이제야 말할 기회가 생겨서 안타깝지만 그래도 말해주고 싶구나! 아빠와 엄마의 불행한 결혼 생활을….
악! 남의 사생활을 듣게 되다니…. 이건 아니잖아!!
그…건 나중에 하셔도….

제발 들어주지
않겠니?
부탁이야.
그러죠,
뭐….
제가 힘이 있나요.
시키는 대로
할 수밖에.
말씀하세요,
어…머니….

러브신을 늘려?!
뭐―?!
부장! 이 연극을 무슨 19금으로 만들려는 거야?!
이건 청소년용이란 걸 잊었어? 심의 안 무서워?
허, 저런 무식한 소리를….
그럼 내 신을 늘릴 게 아니라 다른 배역 러브신을 줄이면 되지!
다른 배역들과 비중을 비슷하게 가야 할 것 아냐? 너희만 하나잖아!

뭐? 러브신을 줄여?
미쳤어?!!!!

이… 이것들이…
제사에는 관심 없고
젯밥에만….

한 번도
끔찍한데…
더 이상은 안 돼!
벌컥
덜덕
지금보다
더한 장면을 넣는다면
난 이 역할 포기할래!

무책임하군. 도대체 뭐가 문젠데?
…뭐가 문제냐고?
애초에 배역부터 잘못 되었다고 생각해! 난 사촌 오빠랑 얼굴 맞대고 러브신 할 자신 없어!
…사촌 오빠?
뭐?

너 비겁하다고
생각 안 해?!
벌떡
뭐가
비겁한데?!
사촌 사이란 거
감추자며 온갖
협박을 다 하더니
자기가 먼저 밝혀?
어쩔 수 없잖아!
기분 나쁘게 어떻게
오빠하고 러브신을 하냐?

뭐가 기분 나쁘냐?
난 괜찮은데 뭘!
너야 안면이
두꺼우니깐
그렇지!
남남보다 더 사이가
나쁜 남매구나!
피하지방이 얼굴로
다 몰린 주제에
누구 안면이
두껍다는
거야?
서민제—!
죽고 싶지?!
앙?!
이 잠에 화끈하게
살인의 추억 한번
찍어볼까?!
제3차 대전 시작이
우리나라일지도
모른다던데,
혹시 쟤들이
시발점?
그럴지도.
앗! 파편이
여기까지
튄다!
흠…!
슬비에게는 신경
안 써도 되겠구나.

둘 다
그쯤 해두지!
뭐야, 한참
재미있는데.
홍정은 말리고
싸움은
붙여야지.
모두 조용히
이쪽을 주목해줘!

남매건 자매건 간에 이슬비 네 항의는 받아들일 수 없어.
한번 예외를 주게 되면 너도나도 요구할 테니까.
앙~.
사촌 사이라 해도 진짜 키스하는 것도 아니니 굳이 대본까지 고칠 필요는 없다고 봐.

그러게 말이야. 나는 하마랑 하는 러브신도 있다고.
멸치는 나도 싫거든!

1000V
약속도 안 지키는… 뻰순이 주제에 내가 상대라서 기분 나쁘단 말이지?
뭐? 피하지방이 얼굴에 다 몰려 있어? 그런 헛소리는 처음 들었다!
상대역이 조소현이라면 어깨춤을 췄겠지?
흥!
저러다 코털 빠질라.

진짜 민제라면
오히려 나도
찬성하겠다.
치~!
낫기는
뭐가 나아!
…흉내만
내는 거라
상관 없다지만…
그래도…
찝찝하잖아.
이 웬수 같은
민제 녀석…!
쓸데없는 짓을 해서.
어유…!
귀 간지러워…,
누가 자꾸 내 욕
하는 거야?

이건 아니잖아?
되는 일이 없어!

아그작…
아그작…
아그작
아그
작
어머니…,
아작… 영화가
아작… 생각보담…
아작… 재미없네요,
아그작….
그러니?

학생이
바스락거리는
소리를 안 낸다면
재미있어질 거요.
이런—! 너무
시끄러웠나요?
죄송해요….
사과하는
의미에서…
아저씨도 좀
드세요.
예?
아 뭐—,
그렇게
까진….
그럼 하나만….
아녜요,
마음껏
드세요.
어차피
한 개밖에 없으니
드시고 봉지는
버려주세요.

요 녀석—,
왜 이렇게
짓궂니?!
헤
다음부턴
그러지 마라.
너무 얄밉더라.
Yes,
mama!
너무 젊은데….
맞지?
수군
수군
아닌 것 같아.

한국 배경이었다면
엄마가 연기했어도
잘 어울렸을 것
같아요.
고맙구나.
맛있다.
헤헤
?
제 얼굴에
뭐 묻었어요?
cafe
아니다.

이렇게 가만히
바라보고 있노라니
정말 이상한 생각이
드는구나.

네가
정말 내 아들
같다는….

아니…,
이런 횡재가….
일요일에도
만날 줄이야!
시간과 장소를
적어둬야지.
자주 만날 수
있게….
다 됐다, 어?

어디로 사라졌지?
저기 있다.
어머나!

잘 가라—,
라종래.
그래,
내일 보자.
어?
슬비잖아….
그런데…?
?
뭐 하는 짓이야,
저게?

강아지 총각!
지저분한 모습을 보니
집 없는 천사인가?
그럼
우리 집에 갈래?
맛있는 음식
많이 줄게.
친절한 건
전부터 알았지만
생각 이상으로
상냥하네!
아 - 좋은 주인을
만난것 같다.

우히히…!
초복이가 좋을까,
말복이가 좋을까.

역시 그런 거군…!
내게 눈도
안 돌린다 싶더니
저 녀석 때문이라는 거지.
하
하
뭐야, 꼴사납게….
질투하는 거 같잖아!
하하….
질투….
내가…,

저 애를….

저어…, 무슨 말씀인지….
괜찮아. 네가 한빛이 아니란 건 처음부터 알고 있었단다.
갸우뚱
아~으… …….
그…저….
어떻게 안 거냐고?

그래도 엄만데
내가 낳은 아들을
몰라볼까.
게다가 그 앤
그리도 나를
미워하는데.
그런데 난
넙죽 엄마라고
불렀으니….
처음엔
너의 친절한 태도에
당황했지만
자세히 보니 내 아들이
아니더구나.
신기하리만치
닮긴 했어도….
죄송해요,
아…주머니.
아냐.
오히려 고마웠어.
그토록이나 원했던
아들의 웃는 얼굴을
보여주었잖니?

형…,
오늘 형의 어머니를 만나
여러 가지 얘기를 나누었어.
그래서 형에게 꼭
전해야 할 얘기가 있어서
이렇게 편지를 쓰는 거야.
말주변이 별로 없어
아무래도 글이
나을 것 같아서….
형이 얼마나
불행한 어린 시절을
보냈는지 들었어.
그러나 그분…,
김미희 아줌마는 더
불행했다는 것 알아?

나는 지금부터
그분께 들은 얘기를
모두 적으려 해.

그리고… 긴 고통을…!

벌컥
슬비야,
불어 사전 좀….
어디 갔지?
아, 여기
꽂혀 있군.
툭

조소헌 에게
휙
아니, 잠깐—!
조 소 헌 에게

내 방에
무슨 일로….
뭐, 뭐야.
왜 무서운 얼굴을 하고 그래.
내가 뭐랬나?

상록제

까아
킥킥—.
또 했다.
관객들이
자지러지는구나.
빨리 빨리 서둘러.
휴우

다음엔
우리
차례야.
나도 아니까
기분 나쁘게
자꾸 강조하지
말아요.
저 두 사람은
그래도 잘하고 있구나.
하!
내가 파트너라서
기분 나쁘다는 거지?

꺄아
멋있다
누구야 재들
아까
로미오 쌍보다
더 어울리는 것 같아.
미남 미녀
커플이네.
재 이름이
민제라고?
아주… 아주
잘나가는군.
I am
교장!
이젠 나를 믿겠소,
낙랑공주?
끄덕끄덕

공주—.
오, 나의 사랑 호동….
젠장, 왜 안 나오는 거야!
부다다다다

에잉~, 재 또 나왔어.
다리에 쥐도 안 나나?
제가 핵심이죠.
KiSS 중
공연
심의위원회
꺄아

팟!
......
이…
이게 뭐야!

……
…내가…
무슨 짓을
한 거지…?
두 사람 사이에
흐르는
여러 가지 상념이
전해오는 것
같아.
저 침묵…
적절한 시간의
공백이 있어서
더 효과적이야.
와~,
연기력
죽인다.
이… 이…,
못된 놈….
감히… 감히….

똑똑
…민제 이외의
사람만 들어오세요.
좀 전에 분명히
경고….
아냐.

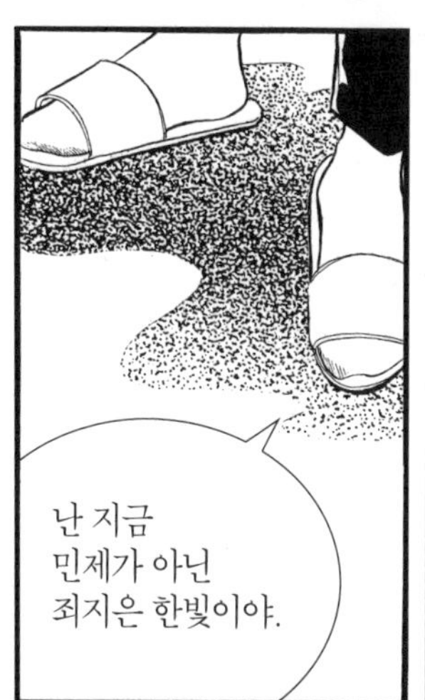
난 지금
민제가 아닌
죄지은 한빛이야.

…미안해.
화났지?
그런 일에 화 안 낼 만큼
성인군자 아닙니다.

정말 미안해.
뭐라 할 말이 없지만…
들어줘.
요즘 계속 너와
신경전을 벌이느라
내 정신이
아니었나 봐.

왜 그런 짓을
해버린 건지….
나 자신이
혐오스럽기까지
하다면 믿겠어?
…….

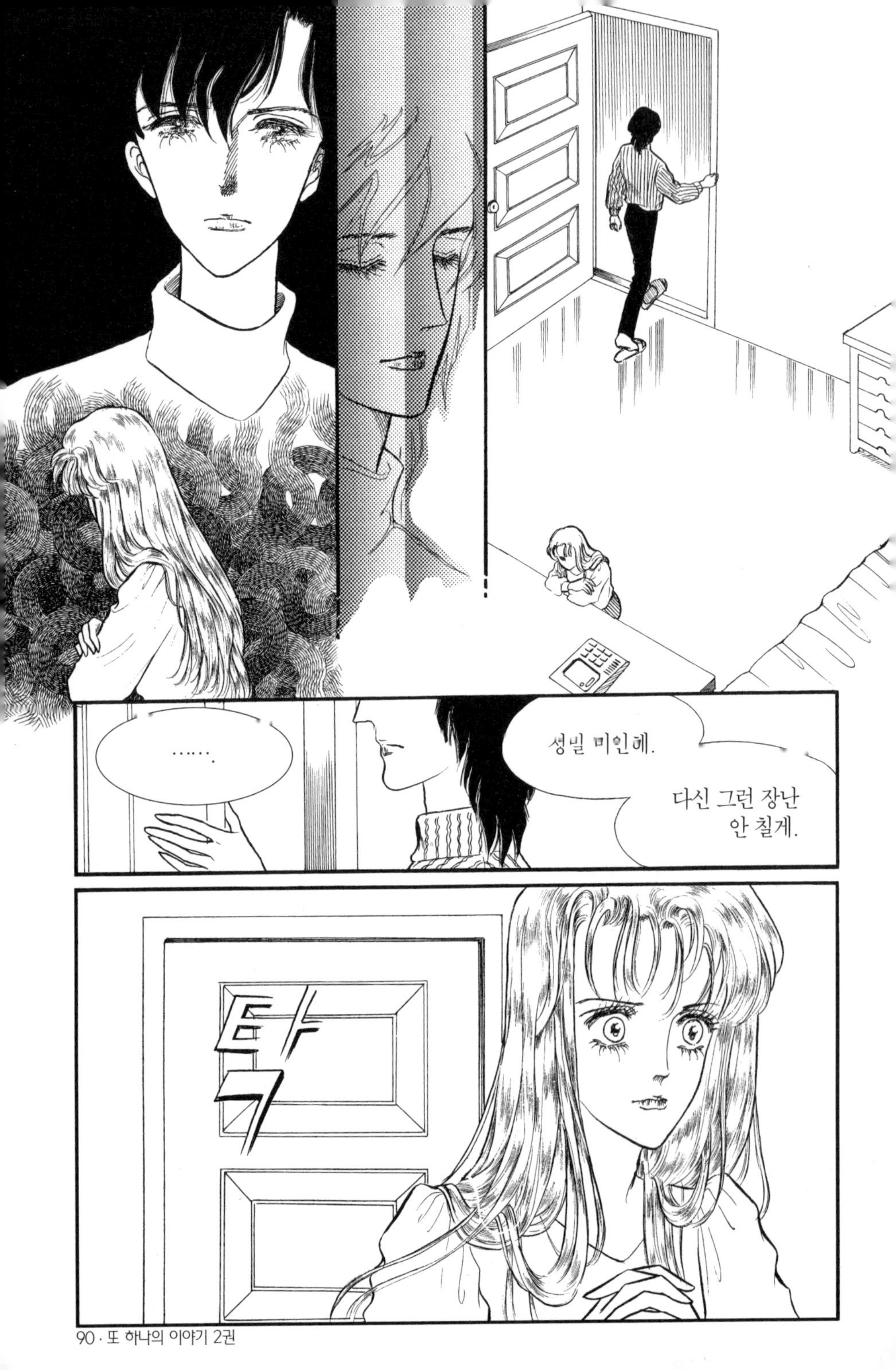
……
생일 미안해.
다신 그런 장난 안 칠게.
탁

장난…?
…그래, 당신네들
세계에선
한낱 장난에
불과하겠지만….
탁
내겐 아니란
말이야!

어쩌다
이렇게 되어
버린 거지?
…이게 아닌데….

정말이지
이런 게
아니었는데….
슬비—,
슬비—!
이슬비—!
젠장—!
요새는 계속
그 생각뿐이야!
대체 왜 자꾸만
그 구두쇠에게
신경 쓰는 거야?
풀썩

민제야,
…인정하긴 싫지만…,
아무래도
네 노랑이
여동생에게
반했나 보다.

어!
내게 온
편지구나.
이슬비?
낙랑공주가
웬일로
편지를….
민제에게로
온 편지구나.
어… 왕자?
그럼 민제가
아니고 내게
온 건가…?
결국 애도
내게 반했다는
얘기군.
결국 이 사람도
알게 되었다는
얘기군.

나와 사귀고 싶다고?
나와 화해하고 싶다고?
미안하지만 내겐 ♀체가 있어 곤란하단다.
하! 지긋지긋한 변명—, 변명들—!
그렇지만 아깝다, 제법 괜찮은 앤데….

엑!
뭐, 뭐야!

고백이라고?

그동안
얼마나 방탕하게
살아왔나
얘기하겠다고?
이제는
삼류 가십 기자와
아늘소자 구분
못하는 건가?
누나,
엄마는
언제 오지요?

…네, 누나.
엄마가 오면 같이 먹을래요. 괜찮죠?
글쎄—, 늦게 오실 거야. 밥맛이 없어?
엄마, 이젠 매일 매일 늦어.
…진짜로 싫어….
오, 저런—. 그건 안 돼요. 네가 지금 식사 안 하면 나중에 누나가 혼나.
사모님은 드시고 오니까 먼저 먹어, 응?
혼자 먹는 건 정말 싫어요, 맛없어요.
업….
아—, 엄마 왔나 보다.

쫘ㄱ

선배라고?!
그따위 터무니없는
거짓말로 감히
날 속이려 들어?!

그렇게
자유분방한 걸
즐기려면
결혼은 왜 했어, 왜?
……
나야말로…

나야말로
묻고 싶은 말이에요!
왜 나와 결혼했어요?
그래요! 나, 그런 여자예요.
노는 게 즐겁고 남자들과
얘기하는 게 재밌어요!
나 그런 거 몰랐어요?
그런 거 저런 거
다 좋다고
결혼해놓고
이제 와서 왜 나만
못살게 구는 거예요!

허구한 날 사람 시켜
뒷조사하고, 미행하고…!
도대체 내게서
뭘 바라는 건데?
약점 잡아
이혼이라도
할 건가요?

싸우지 말아요,
아빠….
닥치지 못해―!
싸우지 말아요, 엄마.
싸우지 말아요….

넌 피가 더럽대,
딴따라야.
다시
말해봐.
울 엄마가
넌 천한 피를
받았댔어.
네 엄마는 그래서
우리 집안에서
쫓겨난 거야.
너도 나가.
뭐라고?
이 자식이…!
퍽
탁
툭
탁
무슨 짓들이냐,
할아버지 생신날에
싸움질을 하다니―!
네가 나빠.
넌 형이잖아.
형이 되어서
동생을 패기나
하고….
하지만 할머니―.
볼썽사나우니
들어가서
다시 씻고 나와.
…휴우….
어디서 그런 걸
데려와서….

더러운 피….
집안의 수치….
딴따라….

그렇게 쉼 없이
담배 피우다가 엄마한테
들키려고 그래요?
자―,
마저 읽어요.

누가 함부로
남의 물건에…!
청소하다 찾은 거예요.
민제의 이름이 있어서
읽어본 것뿐이고.

필요
없는 거니까
버려.
지금 나한테
성질내는 거야?
난 아직도
화 안 풀렸는데….
털썩
나도 털썩
나중에
후회하지 말고
읽어봐요.
읽는 건 10분이지만
후회는 평생 갈 수도
있는 거니까.

읽기 싫은가 보다.
좋아, 내가
읽어드리지.
바스락
형,
미희 아줌마는
무척이나….
탁

진작
그럴 것이지.

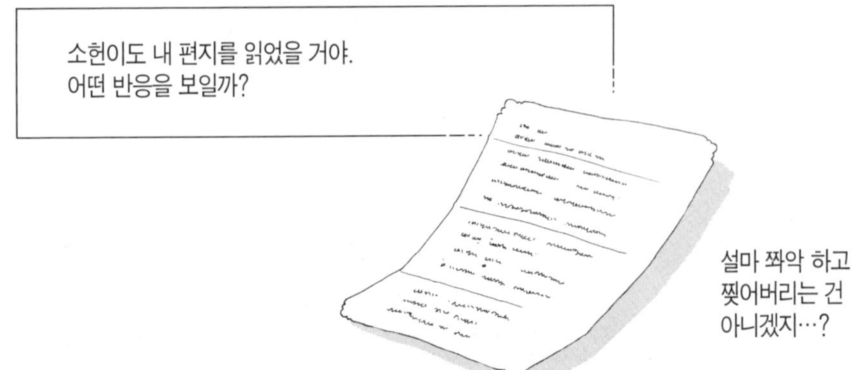
소헌이도 내 편지를 읽었을 거야.
어떤 반응을 보일까?
설마 짝악 하고
찢어버리는 건
아니겠지…?

짜악
유치한 거짓말!
난 당신이 좀 더
지성인인 줄
알았는데….
하!
이따위 지어낸 말을
믿으라고?

민제는 문장력이
별로 없는 편이죠.
표현력도….
그런 민제의 편지에서도
그분의 진심이 전해지는데
왜 못 느끼는 거죠?
일부러 보지 않고
듣지 않으려
한 거 아니에요?
네가
뭘 알아?!
이제 와서
오해라고?
진실이 아니라고?
어렸지만 내게도
눈이 있었어!
그런데도 오해라고?
내 어린 시절을,
비참했던
아버지의 죽음을…,
그 고통스런 시간을
네가 알아?!

당신은
어렸잖아요.
진실을 알기에
당시의 당신은
너무 어렸던 게
아닐지….
세상은
엉킨 실타래처럼
복잡하기 그지없으니까
썩은 나뭇가지 하나로
모든 것을 판단해선
안 된다는 말을
들은 적 있어요.
하찮은 돌멩이조차
보는 각도에 따라
다 다른데,
하물며
사람과 사람 사이는
어떻겠냐고.
…그리고,

설령 한빛 씨가
알고 있는 게
진실이라 해도,
아버지와 자신을
동일시하면
안 되잖아요.
모두 그분을 비난해도
낳아주신 어머니라는
이유만으로도 한 번쯤은
용서하고 그분 편이
되어줘야지요.
사람은 다
실수하며 살아가요.
…지금의 당신보다
고작 몇 살 많았을
뿐이에요.

똑 똑

얼마짜리 서비스지?

시원한 주스입니다.
특별 서비스예요.

특별
서비스니까,
무료야.
민제 앨범
보고 있었어요?
응, 가족사진을
보던 중이야.
사신들이 모두
한결같이 화목하고
행복해 보여.
사진뿐 아니라
실제로 화목해요,
외숙부네는.

없을 리야….
그 세계가 워낙 그렇고 그런 곳이잖아요.
외숙부님이 연예계에서 활동하며 곤란한 일도 많았을 텐데 그런 건 문제가 되지 않았나?
외숙부 같은 톱스타는 다래끼만 생겨도 종양으로 실명했다고 소문날 수 있는 세상인데.
가령 스캔들이나 헛소문 같은 거 말이야.
그러나 그 점에 있어서 외숙모는 흔들림이 없었으니까.
그 세계의 생리를 잘 알고 계셨고, 무엇보다 외숙부를 믿고 사랑했거든요.
그런 내조가 있었기에 외숙부는 더욱 거리낌 없는 연예 활동을 할 수 있었겠죠.

사랑….
믿음….

확실히….

우리 부모님께
사랑은 있었을지
모르지만
믿음은 없었어.

이곳에 와서
제일 부러웠던 게
슬비 부모님들의
넘치는 사랑과
믿음이었어.
젊은이 못지않은
열정으로 서로
사랑하는 부모님들,
그리고 자식에 대한
따뜻한 사랑….
나로서는
꿈에도 그리던
정경이었지.
고아 아닌
고아였던 나로선…!
드르릉
빠직
으
저·저럴 수가…

천하의 한빛이
아픈 과거를 과감히
밝히는데
잠이 오냐?! 잠이 와?!

내 방에서
무방비 상태로
잠드는 걸 보니
나에 대한 화는 좀
풀렸나 보네.
뭐…,
피곤하기도 했겠지.
계속 신경전을
벌였으니….

그래도 좀 약 오르네.
쿨쿨
……….
드르릉
피유
……….
드르르
푸푸
드릉
뭐야, 나….
지금 저 구두쇠의 코 고는 소리에 위로 받는 거야?
하아…
쿠울

어디 아프니,
민제야?

…아니요.

안색이 많이 나쁜데?
걱정거리도 있어
보이고….

무슨 일인지 내게는
말할 수 없는 거야?
힘이 되고 싶구나.
…….

나를 엄마처럼
생각하고
얘기하면
안 될까?
저어….

매니저가
이상해요.

이상하다니?
자꾸 무슨 서류에
사인하길 요구해요.
전에 한빛 형이 절대
사인 같은 건 하지
말라고 했거든요.
근데 매니저가
자꾸만….

요즘엔 특히
이상해요.
거의 강요, 협박에
가깝다고요.
무섭게
서리…

협박까지….

네—.
제 착각일지도
모르지만 왠지….

그래서 조금
무서울 때도
있어요.

…어쩐다.
내일부터
지방 로케가 있어서
한참 못 올 것
같은데….

걱정 마세요, 무슨 일이야 생기겠어요?
그래도….

이렇게 하자.
내가 매일 연락을 할 테니 숨기지 말고 그날 상황을 말해줘. 혹시 그 사람이 옆에 있어 곤란하면,
날씨 정보로 돌려서 말하고.

날씨 정보? 암호처럼요? 햐—, 무슨 첩보물 같은데요? 재밌겠다.
응?

네가 낙천적이라 그나마 다행이네. 그래, 우리 첩보원 한번 해보자.
빵
출연하신 영화의 한 장면 같겠네요, 뭐.

하하。。

야호ㅡ,
드디어
방학이다!
아! 기다리고
기다리던 방학!
정미야,
이번엔 어디
놀러 갈 거야?

아직도
날 피하나…?
어디론가 급히
가는 것 같던데?
그래?

안녕?
누구 찾아?
아, 안녕.
혹시
슬비 못 봤니?

아냐.
의논할 게
좀 있어서….
집에서 하지 뭐.
슬비랑
함께 돌아가기로
했던 거야?

저어기….
응?
두근
내게 할 말 있니?
와—, 놀래라.
순간적으로
한빛 오빠 줄
알았어.
여름방학 때
놀러가도 될지
물어봐주지
않을래?
아, 아니—,
슬비에게 할 말인데….

…그러지!
슬비에게 전해줄게.

주희야ㅡ!

야! 서민제
거기 서지 못해?
서란 말이야!
컥
얼마나 잘났기에
사람 무시하는지
그 잘난 얼굴
한번 보자!
그날
너 화났던 건
이해한다 쳐도
그것도
따지고 보면
네가 오해했기
때문이잖아!
그런데
주희에게 꼭
그렇게 좀생이 짓을
해야겠어?!

정작 너란 인간은
여전히
밴댕이 소갈머리에
답도 없어!
앞으로 얼마나 잘되고
인기 있을 건지
두고 볼 거야!
널 좋아해서 한 말로
네게 화풀이만 당한
주희는 그래도
네 걱정을
더 하던데,

짜아식….
얘기를 해야
사태를 파악하지.
헤헤…,
깜빡했다.

…정말…
미안해.
널 좀 더 미리
알았더라면…,
역시 유채를 더
좋아했겠지.
네 편지
정말 기뻤어.
단지 내 마음속에
이미 다른 존재가
자리 잡고
있기에….
상당히 충격이
큰 모양이군.
하지만 그날
민제 놈에게
당한 거에
비하면 뭐….

너무 오래
가슴 아파 하지
않길 바라.
넌 공부도 잘하고
예쁘니까 언젠가
좋은 친구가 생길 거야.
…여름방학
건강하게 잘 보내고
2학기 땐 웃는 얼굴로
만나자.
우히히….
민제 몫
쬐끔
복수했다.

거부당한
첫사랑이라….
괴롭겠지.
마음 아프겠지.
…정말
마음 아프다.
너무…
너무 아프다.

난 분명히
실연당한 거야.
내가 좋아하던
남자로부터….
…그런데…

그런데 하나도
괴롭거나
슬프지 않다니….
내 가슴이
이렇게까지
메말라 있었나?

너무너무너무
가슴이 아픈 거 있지.
독서를 너무 안 해서
정서가 메말랐나 봐.

책이나 영화 같은 데서 보면
실연당한 주인공은 그야말로
초주검이 되던데….
너무너무 슬퍼서
자살하는 사람도
있었어.
그런데 나는
이게 뭐야?

안 돼.
나는 이 무덤덤함을
꼭 애절한 슬픔으로
바꾸고 말 것이야.
가자—!
로맨스 소설의
세계로!
따르르르르
여보세요.

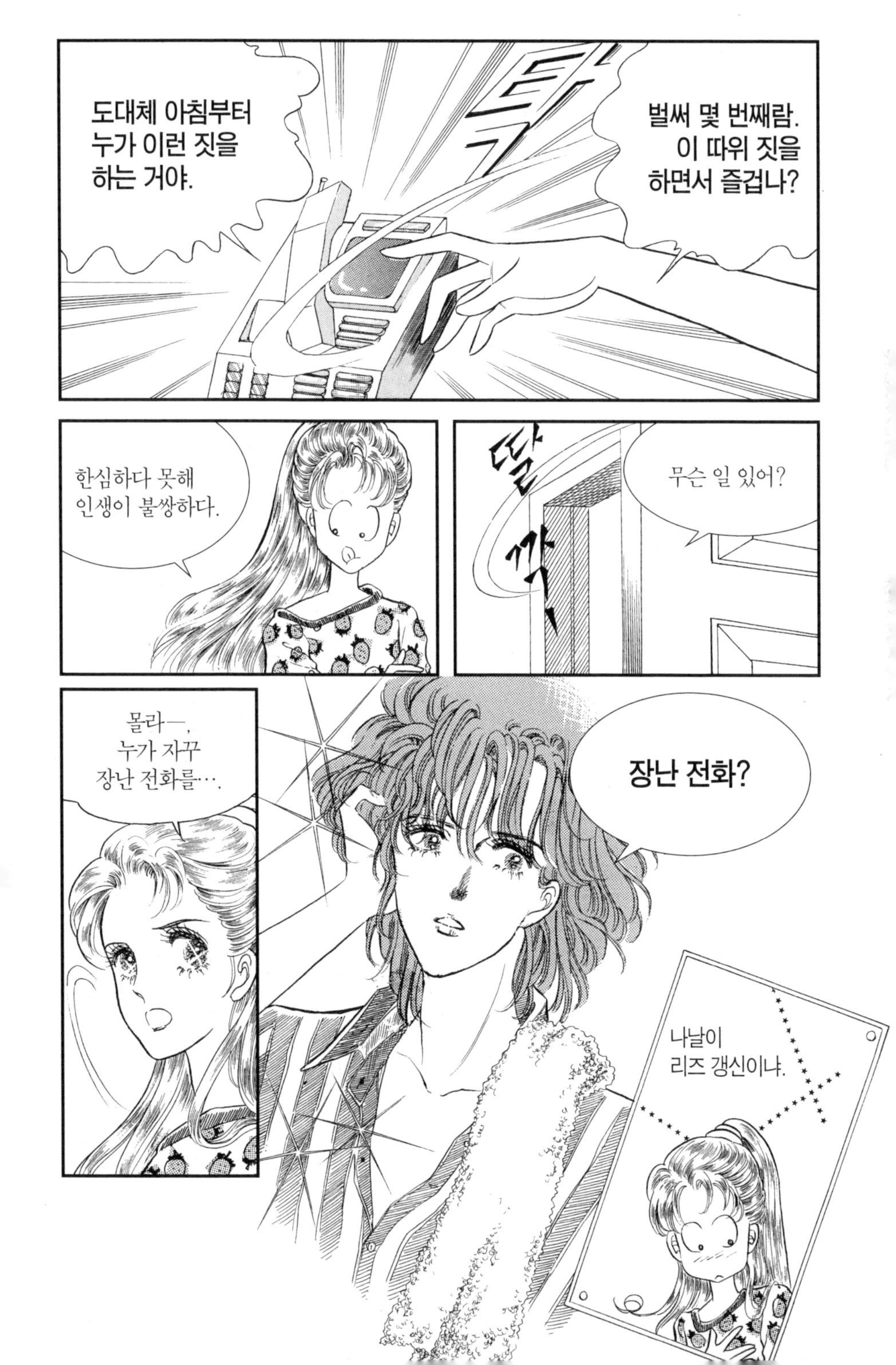

도대체 아침부터 누가 이런 짓을 하는 거야.
탁
벌써 몇 번째람. 이 따위 짓을 하면서 즐겁나?
한심하다 못해 인생이 불쌍하다.
딸깍
무슨 일 있어?
장난 전화?
몰라—, 누가 자꾸 장난 전화를….
나날이 리즈 갱신이냐.

로맨스 소설
부작용이
이런 식으로….
비틀
따르르르

전화 안 받아?
바로 옆이니
좀 받아요.

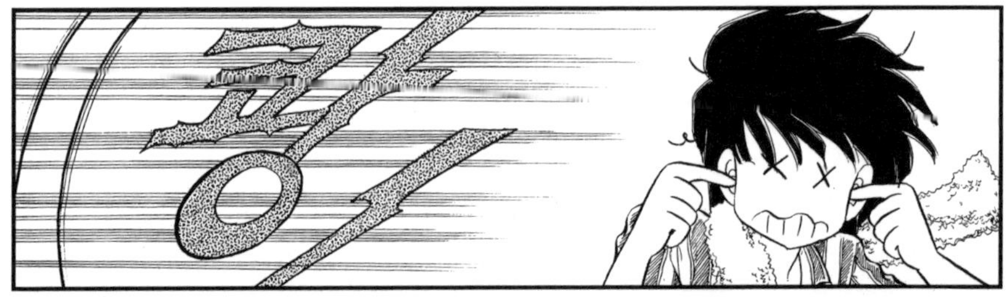
쾅

민제?

매니저가…,
결국 마각을
드러냈군.

마각이라뇨?
나도 알게 된 지
얼마 안 됐는데
그 사람 질이
나쁘다더라.
조폭들과
연관이 있다는
소문이 있어.

아앙~
그럼 난
어떡해요
혀영~

아무래도
내가 원위치
해야겠다.
그래요?
언제요?

당…장은 안 돼.
조금 더 있다가….
왜 지금은
안 돼요?

여기에 꼭 마무리
지어야 할 일이 있어.
그러니 좀 더 참아줘.
너무 걱정 마, 민제.
내가 갈 때까지
큰일은 없을 거야.
내가 돌아가면….

매니저를
해고시켜요?
잘 생각하셨어요.
그 사람 맘에
안 들었는데….
네, 네, 알겠어요,
형.
조금만 더
참으면 된다
이거지?
찰칵
…근데…
해야 할 일이라니….
한빛 형이 우리 집에서
꼭 해야 할 일이 뭐지?
아주 재미있는
통화군.
짱
짝

빠각
빠각
나를 해고하겠다고…?
희번득…..

저… 전화를
엿들었군요!
비겁하게―.
내가 듣기로는
저쪽이
한빛 같은데?
너 같으면 누가
자기 뒷담하는데
안 듣겠냐?
그러고 보니
비슷한 일이
한 번 있었지.
그래도 어린 녀석이라
크게 혼내진 않았어.
그냥 탁하고 쳤더니
억 하고 쓰러졌을 뿐.
그 후 쭈욱
병원 신세를
지더라고.
5년이 지난
지금까지 말이야.

주희?
어서 와.
페라니,
무슨 그런 말을….
들어가자.
이렇게
갑자기 와서
폐가 되지는
않았는지….

근데
어쩐 일로….
내가 얘랑
친했던가?
저…,
서민제….
잘하는 짓이다.
유채뿐인 줄
알았더니….
하하…
그래서…

따르르르
여보세요.
그래서 사과하고 다시 한번 얘기해보고 싶었어.
사과라니…, 그런 말 하지 마.
모두 민제 녀석이 멍청하게 행동해서 생긴 일인데 뭘.
바보 녀석—.
멍청이—.
한심하다, 서민제.

꼭
다른 사람
얘기하듯
하네?
의외로
재미있는
애야.
얘기 중에 미안하지만
민제, 잠깐만….
유채가?
그래, 이 앞에서
전화 하는 거래.
곧 도착할 거야.
나 만나러 온다는
핑계지만 진짜 목표는
그쪽일걸?
그렇겠지.

입장
곤란하게 됐네.
한날한시에
두 여자라니….
실화판
막장 드라마
같네요.

오해 마.
유채는 몰라도
저 주희라는
애는….

낭자,
지금 그거
실두?
천부당만부당한
설레발이라
전하시오.

하―.
어디 가든 인기가
넘치네요.
모전자전이라는
건가?

…미안해요.
나쁜 의미는
아니었어요.
그러니까
뭐라고 해야 하나…,
나는 그냥….
긁적
…….
됐어.
무슨 뜻으로
한 말인지 알아.

20년이나
쌓여온 앙금이
금방 사라질 순
없잖아.
다만…
아직은 그분과
함께 거론되는 게
싫어.
무슨 일이 있나?
왜 안 오지…?
내가 봐도
바보 같아,
성날….
되든 안 되든
가서 부딪쳐
보란 말이야!
이 답답아—!
조선시대 사람이니?
왜 그렇게 속으로만
끙끙대는 거야?

이 방이야.
들어와—.
마침 주희가
와 있었어.
서로
아는 사이지?
유채…!
이 계집애가
어떻게….
앉아 있어.
과일이라도
좀 내올게.
이…
이제 보니…
여기까지
열기가
뻗쳐오네.

파팟
팟
저 모습 보고 느낀 거 없는지?
난 죄 없어. 아까 얘기했듯이 주희의 목표는 진짜 민제고….
……그런데 넌 어때?
뭐가요?
내가 한 무례한 짓 용서했느냐고.
한집에 살면서 계속 서먹서먹하게 지낼 수 없으니 참는 것뿐이라고요! 용서는 무슨…. 흥!

그래서 자리바꿈을 한 거라고?
네에―.
어쩐지 하는 짓이 이상해서 벌써부터 눈치 챘었지.
거짓말―.
…….
어쨌든….
그 괘씸한 녀석이 감히 날 해고하려 한다는 건데,
내가 가만히 당하고 있을 줄 알아? 복수하고 말 테다!!

따르르릉
따르릉
정확하군, 김미희의 안부 전화.
아니, 그 여편네는 바쁜 와중에 꼬박꼬박 전화질은 왜 해대는 거야?
쓸데없이….
따르르릉
따르르릉
어쩐다….

전화를 안 받으면
의심하겠지?
여보세요.
아—,
안녕하십니까?
촬영 막바지라
많이 힘드시죠?
네,
한빛이요?
물론 잘 있고말고요.
바꿔드릴까요?
잠깐만
기다리세요.
으으….

난 평소에는
아주 착한 사람이야,
짝퉁 한빛아.
그러나 누군가
내 신경을 건드리면
아주~ 아주~
못된 사람이 되기도
하지.
거짓말….
오싹…
이건 참말…,
으앙~.
내가 못된 사람이 되면
내 신경 건드린 사람이
어떻게 된다는 건
들어 잘 알지?
끄덕
좋아—,
아주 착한 학생이구나.
이제부터
김미희의 전화를
바꿔주겠다.

알겠지?
그럼 넌 대충 인사하고 요즘은 무척 바쁘니까 네가 전화 할 때까지 먼저 연락하지 말라고 하는 거야.

여…, 여보세요—.

아, 예—! 네…, 네?! 제주도요?!
경사로세, 하늘도 나를 돕는구나.

엥엥~. 이런 때 제주도에 계시면 어떡해요.

위 잉 감
위험 여부를 날씨로 알리는 게 어떻겠니? 별일 없으면 날씨가 맑다, 좋지 않은 일이 생겼을 때는 날씨가 흐리다로….
나야 별일은 없지만 촬영이 조금 늘어져서 며칠 더 연장될 것 같긴 해.
그래. 보고 싶지만 바쁘다니 먼저 전화 걸진 않을게.
저런—! 많이 바쁘다니 네 건강이 걱정되는구나.
내 염려는 말고 몸 관리 잘해.
HOTEL 가람
가-는
갑자기 날씨 얘긴…?
날씨? 여기는 맑아.

예?
여기 날씨요?
흐려요,
너무너무 흐려서
낮인데도 깜깜해요~.
저것이
무섭다 못해 돌았나?
이렇게 화창한
날씨에….

너랑 나랑
여러 면에서
공통점이 있는 것
같지 않니?
어머—! 슬비야,
진짜 신기하다.
우리 아빠랑
엄마도 비슷한
사건으로
학생 때
상 받은 적
있는데.
그래서,
엄마는 표창장을
받게 되셨대.

비슷한 경험을 한
사람이 또 있었다니…
그건 좀 놀라운걸.
와우~

우리 만남은 우연이 아니고 필연이었어. 그런 의미에서 우리 정말 친하게 지내자.
서로 같은 사건을 말하면서 당사자들은 그 사실을 모름.
필연인지는 몰라도 확실히 보통 인연은 아닌 것 같다는 생각이 드네.
독자들의 빠른 이해를 위해 잠깐 설명하고 넘어가죠.
친한 친구 사이. 그러니 서로의 생활권이 달라지며 만나는 횟수가 많지 않은데다 자식들과 함께 만날 기회도 없었음.
종합 무도관「화랑」의 여관장 서지혜
한국 검찰의 냉혈녀 백장미
법
두 사람도 친구 사이였지만 만나서 가족 얘기를 하는 일이 별로 없는 남자들의 세계.
외과 전문의 이푸르매 박사
고고학자 이상록 박사

그러므로 슬비와 유채는 자신들의 부모가 친구였을 거라고는 생각도 못하는 거죠.
예? 맨날 나와서 시야를 어지럽히는 제 정체가 뭐냐고요? 한국산 구미호예요. 몽룡이라 불러주세요.
자세한 얘기는 『늘 푸른 이야기』를…
그런데 슬비 너도 무술 배웠니?
앨범을 보니까 태권도, 쿵푸, 검도 여러 방면으로 활약한 모습이네.
어머니가 무술 관장이시니 당연한 건가? 완전 부럽다.

배웠다…라기보다는 어쩌다 보니 몇 가지 익혔다고 보면 돼. 어릴 때 부모님이랑 놀던 게 전부 무술이었거든.
부모님은 지금까지도 매일 대련을 쉬지 않으셔.

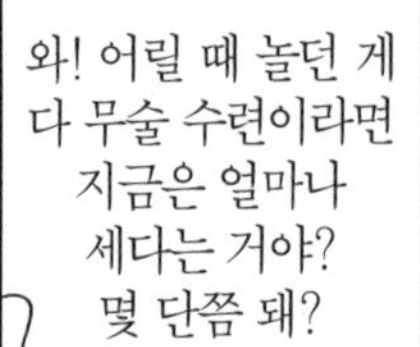
와! 어릴 때 놀던 게
다 무술 수련이라면
지금은 얼마나
세다는 거야?
몇 단쯤 돼?

몇 단이랄
것까진 없고….

그냥 벽돌 몇 장
부술 정도는 돼.
벽돌!

그럼 깡패 만나도
안 무섭겠네?
응,
서너 명 정도는
북어 패듯 할 수
있을 정도…?

그리고…
깡패 말고도…
내 신경을 건드리는
사람이랑…,
덜컹

감히 내게
무례한 짓을 한
인간!

…도 그렇게
손봐주고 싶지만
무도인이라서
웬만하면 참아.
휴!

그 럭 나!

모든 일에는
예외가 있는 법이지.
그렇지, 민제 씨?
그,
그런가…?

옴메
가죽어…
하
하 하

근데 슬비야,
민제 앨범은 없니?
민제 사진도
보고 싶은데.

민제 앨범이야
자기 집에 있지.
앨범은 무겁잖아.
맞아…,
안 갖고 왔어.
그래서….
외삼촌에 대해
알면 곤란하지.
한빛도 펄쩍 펄쩍
뛰었는데 하물며….

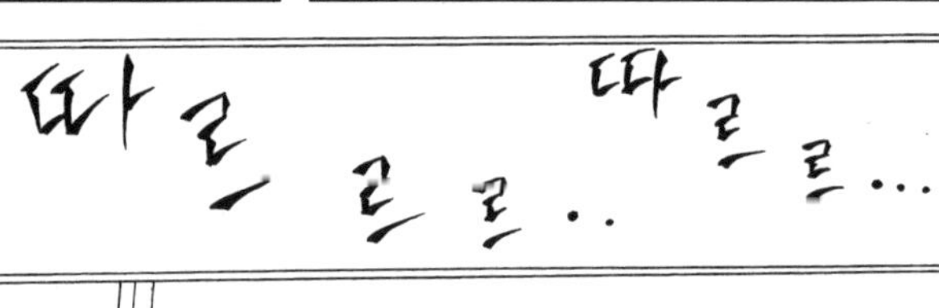
따르르르.. 따르르…

내가 받을 테니
편하게 얘기해.
여자애들
사이에 있는 건
솔직히 고문이야.
잠시라도
자유를….
여보세요—.

여보세요—.

왜 말이 없지?
화면에도 안 비치고….
장난 전환가?

여보세요,
말씀하세요.

나야, 한빛—.
할 얘기가….
전화 잘못
거셨습니다.

쾅

…무슨 전환데
그래?

장난 전화 같아.
따르릉

따르르르
안 받을 거야?
장난 전화가
아닐지 모르잖아.
따르르르
탁
…….

됐어!
내가 받아보지 뭐.
안 돼!
받지 마!

여보세요?

아, 네….
잠깐만 기다리세요,
바꿔드릴게요.
안 받아!

절대 안 받아,
안 받는다고!

…….
어머니를
이해한 거
아니었어요?

콰당

시끄러운 소리가
들리는 것 같지 않아?
또 싸우나?
그,
글쎄…?
가보고 올게.
유채야—.
딸깍
안녕하세요,
한빛 오빠
어머님 되시죠?

한 빛 오 빠
한 빛 오 빠
한 빛 오 빠

저기…,
아주머니 얘기는
민제 편지를 통해
많이 들었어요.
내 귀가 이상한 건가?
분명 한빛 오빠라고
말한 것 같은데.
이 한빛이
그 한빛인가?
저 죄송하지만
한빛 오빠는 받기가
좀 그렇대요.
뭔 소리여ㅡ.
민제는 옆에
여태껏 같이
있었는데…?
우리 민제 오빠는
잘 있죠?
무슨 일로
전화하신 건지
제게 말씀해주시면
오빠에게
잘 전달할게요.

뭐라고요?

쾅
…민…
민제,
민제가 위험하대요.
민제에게 사고가….
민제에게…,
어떡해요.
뭐?

울지 마.
울지 말고 침착하게
말해봐.
뭐가… 어떻게
됐다는 거야?
위험하다는
메시지를 받은 후
연락이 안 된다고….

저 두 사람…,
지금 뭐라는
거야?
모, 몰라.
나도 뭐가 뭔지
얼떨떨해.

일단 아파트로
가볼게.
넌 집에서
연락 기다리고
있어.
싫어―!
나도 갈 거야!

민제야!
민제—, 안에 있어?
서민제!
안에 있으면 대답해, 민제야—!
쾅
젠장—!

약속한 게 있으니
혼자 나간 건 아닐 거야.
뭔가 잘못된 게
사실인 것 같다.
전화 받았던 그날
원위치 했어야
하는 건데….

하… 한빛이야,
진짜
한빛이라고.
민제….

민제가
있을 만한 곳
없어요?
짐작되는 곳이
몇 군데
있긴 한데….
그럼 뭘 꾸물거려요.
빨리 가봐야죠.
하지만 너무 멀어.
한두 군데도 아닌데다
뚝뚝 떨어져 있어서….
지금 그게 문제에요—?!
알았어—.
저도
도울게요,
오빠.
가까이서 보니
더 미남이네.
청운 입시학
청운 입

어휴~.
이 지겨운 여름.
그러나
열심히 공부하고
의미 있게
보내야지.

민제 녀석,
설마 내가 학원에
다닐 거라고
생각 못하겠지.

치사한 자식―.
연극제 때
저 혼자 돋보이고
기말고사도
잘 치르다니….

여름방학 동안
뼈 빠지게 공부해서
일년 전의 영광을
재현하고 말리라.
그래서
유채의 시선을
되찾을 거야.

저… 저런!

저… 저게
어찌된 일이지?
이런 일은
경찰에 신고부터
해야 하는 거
아닐까?
경찰에
연락하려고 해도
이렇다 할 증거가
없으니
며칠 기다려보라고
할 거예요.
그러니 우선
우리끼리라도
찾아봐요.
문제가 있는
사람이지.
그러나
목적은 나일 테니
민제에게 당장 위험은
없을 거야.
매니저란 사람이
그렇게 악당이야?

일단 찾아보고 안 되면
당신이 곤란해지더라도
부모님께 알릴 거예요.
그래, 그러자.
가볼 만한 곳은 일단
다 가보지, 뭐.
저도 도울게요.

안 돼—!
넌 빠져—!

우리 집 일이야.
위험할지도 모를 집안일에
널 끌어들일 순 없어.
그래, 여자에겐
위험할 거야.
하지만 슬비도
여잔데….

무조건 안 된다고만 하지 말고 함께 가요. 백지장도 맞들면 낫다고 하잖아.
칭찬이냐, 비난이냐. …칭찬이겠지?
슬비는 민제 동생이야! 그리고 슬비는 여자 같지도 않잖아?
미인계라거나 하는… 분명 나만 할 수 있는 일도 있을 거야.

내말이 거짓이라면 지나가던 개가 웃을걸요?
순수한 마음으로 딴 속셈 없이! 오로지 절친 민제를 돕겠다는 이 마음을 좀 믿어봐요!

깽 깽 깽

너무
속 보였을까?
좋아, 좋아!
이왕 이렇게 된 거
다 같이 협력해서
찾아보자.
정말이지?
저기…,
나는…?
그래, 너도 같이 가자….
위험할지도 모르는데
괜찮겠어?
무…,
물론이야!

꺄아아~!
드라큘라~!
매니저가 이런 곳엔 왜 온다는 거야. 잘못 짚은 거 아니에요?
유령의 집
모르는 소리 마. 하루 한 번씩 들른다고.
어…, 어서 찾고 나가요.
매니저를 처음 만났던 곳이지.
빨리 안 들어오고 뭐 해?
남탕
바보야!

매니저가
하루도 안 빠지고
오는 곳인데…
이유채—!
춤추러 온 거
아냐!
헤이~
헤이~
앗싸

내과 1
서민제,
여기에 있으면
대답해봐!
정신병동
이 인간도 그냥
확 입원시켜버려?

미용
컷트 전문
헬스 클럽

어쩌자고 그런 쓸데없는 곳만 다녀요?
결국 실패하다니….
너무해. 헛고생만 실컷 하고.

네 눈엔 쓸데없는 곳으로 보였는지 몰라도 가장 핵심적인 곳이었다고!
핵~심~적~?
저 녀석은 핵심적이란 말뜻은 알고 쓰는 거야?

공부도 때려치우고,

쓸데없는 곳만 다니는 저 녀석을,
뼈 빠지게 따라다니다가,

퉁퉁 부어버린
불쌍한 내 발!
졸지에
대발 됐다 앙~

어쨌든!

흐~ 흐~ 흐~
흐~ 흐~ 흐~

다시 생각해봐요.
정말 짐작 가는 곳
없어요?
그래,
어서 생각해라.
하루라도 빨리
그 녀석을
원위치 시켜야
학교에서의
내 지위가
확고해지니까.

남은 곳이
딱 한군데
있긴 한데….

어딘데요?

아니—,
십중팔구는
그곳에 있을 거야.
하지만 너무
위험해서….

위험을
감수하고라도
가보겠어?

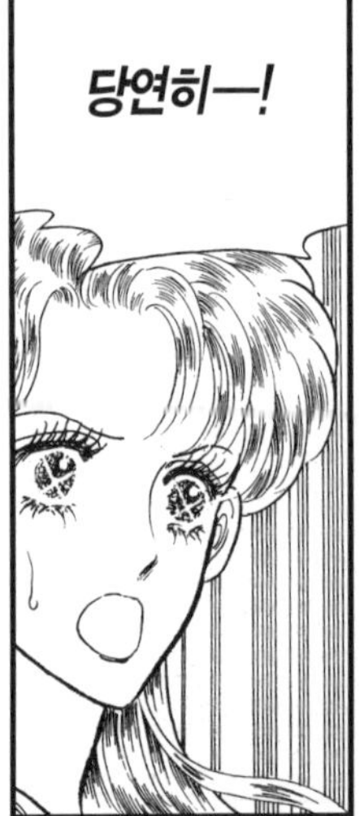
당연히―!

가야지요!

오빠가
가는걸요!

눈치보다
수틀리면
튀는 거고….

십중팔구는
그곳에
있을 거라고
했잖아.
이번엔 확실한
장소 맞아요?

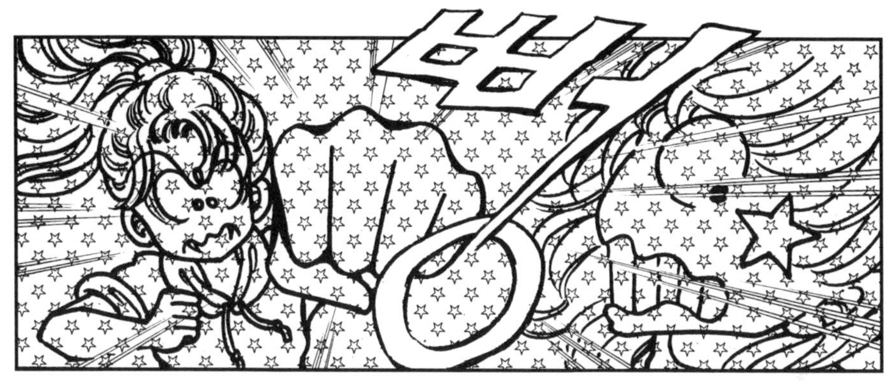
퍽

확실한 곳 두고
지금까지 왜 헛짓한 건데?
갑자기
뭐 하는 짓이야?
모두를 쓸데없이
고생시키고 말이야!
성질대로라면 때린 자리
또 때려주고 싶네!
놔둬, 슬비!
오빠를
죽일 셈이야?

푼수짓 한 건
내 죄 아니다, 뭐.
나를 이렇게 만든
작가가 미워!!
그리고 잠입은
어두워진 후가
낫잖아.

저 집에 민제가
잡혀 있을
거라고?
조용히 해.
분명 경비 시스템이
설치되어 있을 거야.
슬비 말이 맞아.

뭐가 보여?
조용히 해!
네가 금방
말하고 까먹냐?
치~.
엉!

내가 본
바로는
확실해.
전부
네 명인거
확실해요?
한꺼번에
네 명이라면…
약간 힘에 부치는데.

모두
모여봐.
응?
속닥 속닥
찌찌배배

어때?
괜찮은데―.
성공할까?
찬성!

쾅
뭐얏!
내가 왔으니
민제를 풀어줘요.
전 덤이에요.

흠!
매니저의
예측이 완전
어긋났군.
그러나
당황할 우리가
아니지.
어서 와라,
귀여운 청소년들아.
아주 용감하구먼!
유채,
1단계
실시 준비!
OK!

자—, 꼬마들,
얌전히만 있으면
우리도 친절하게….
실시!
휙
콰앙
빠직!
…대하려고
했는데….
힉!
앙!
틀린 것… 같아….
꿀꺽!
뭐… 뭐야,
맞으면 쓰러진다… 가
1단계인데….

상당히 사람을
피곤하게 만드는
스타일이구만!
히익
이…,
이젠 어떻게 해,
한빛 오빠….
할 수 없다.
2단계를 건너뛰고
3단계인…,
36계닷!
쌩

엉?
뭐 햇! 잡아야지!!
이대로 그냥 도망가면 어떡해요? 슬비가 곧 들어올 텐데….
별수 있어? 우리 셋이 뭉쳐서 싸워야지.
슬비야—, 실…!

…패다….
36계도
쉬운 게 아니랑께,
아그들아~.
아앙…!
슬비야…,
무서워잉~.
씨익
꺄악

바스락
이상타? 우당탕 소리가 났는데 왜 신호가 없지?
글쎄….
설마 실패한 건 아니겠지?
그… 그럼 어떡해?
안 되겠다, 궁금해서….
내가 가볼 테니까 여기서 기다려.
살금
살금

영차 영차
도착!
어디 볼까나…?
엥?!!
으이그~,
저 모지리들!

짜-안

드디어
구출되나
했더니….
하하….
안녕, 민제….
건강해 보여서
다행이다.

정말?
걱정 마,
슬비도
와 있어.
슬
각

저 녀석은
뭐가 좋다고
히죽거려?
아! 다행이다.
슬비의 어마무시한
힘이라면…
우린 구출될 거야….
아!
내가 한번
나가보고 올게.
그래!
그런 것도
같은데….
이봐!
아까 저 녀석이
이름 같은 거
부르지 않았어?

으힉!
저…렇게
덩치 큰 사람이
나가면
어떻게 해.

히야!
쌍둥이라 해도
되겠네….

이러니
눈썰미 매섭다는
매니저도 속아 넘어갔지.

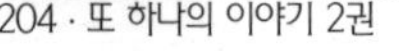

그나저나
매니저 올 시간이
다 됐는데….
시계
크아악
히익
후타탁
홍뚱보 목소리
같은데?
어디서
괴성이…?
내가 나가볼게.
그것들 잘 지켜.
홍뚱보에게 무슨 일이
생긴 거 아냐…?
어두워서 잘 안 보여.
알았어!

꽉
너, 설마
경찰을 데리고 온 건
아니지?
아니요.
그럼,
군인은?
아니요.

그럼
몇 명이
몰려
왔지?
우리
뿐이에요.
거짓말 마!
이런 델
단둘이 와?!
거짓말 아닙니다!
난 특별한 경우 외엔
절대 거짓말
안 해요!
지금이 바로
그런
경우지

좋다!
일단은 믿어주지.
하지만….
으악
사살려줘~
괴물-
헉!
휘이이이잉
괴…
물…?
오싹

이봐!
개뼈다귀….
왜?
변파리?
이 만화…
공포물이었냐?
에베-
브브브
아닌 걸로
아는데….
몽룡귀신이다 …
같이 가자.
언제까지 이렇게
굳은 채로 있을 거야?
내려가봐야지?
멍청아!
둘 다
내려가면
여긴 누가
지키냐?
그런가?

내가… 아이들을
지킬 테니…
네가 무슨 일인가
알아보고 와.
싫어!
내가 애들 지킬게.
네가 갔다 와.

야!
좋은 말로
시킬 때
갔다 와!
앗! 가려진다.
웃기지 마!
네가 뭔데
명령이냐?

이 ××△△가―!
너 자꾸 ㅁㅁ하면
○○할 거다!
뭐얏?
이 WXY가 콱
XXYY해버릴…!
쿵 쿵 쿵

잠깐….
쿵
쿵
쿵
쿵

쿵 쿵 쿵 쿵
누… 누군가
올라오고 있다….
조~~용

왜 갑자기
소리가
멈춘 거지?
낸들 아냐?
꿀꺽
쾅

으아악—!
번쩍
쿵!

휘
휘

콰당
에세세….
뚱보를 인질 삼아
싸우려 했더니
벌써 쓰러졌네?
와아~! 슬비야!

하하… 하….
그건… 저 사람들 머리가
저렇게까지 단단한 줄
몰라서….
거의 절망적인
돌머리였어
그림 괜찮네!
한 사람씩만
맡으라고
몽둥이도 줬는데
잡히기나
하고 말이야.
이 일은 위험해서
여잔 안 되느니
되느니 하더니….

엄마야!

와하하하 하

뛰는 사람 위에
나는 사람 있음을
알아야지.

매니저!

여어!
그동안
잘 있었나,
한빛 군?

당신이 염려해준
덕분에 잘 있었죠!

그래, 그래!
너의 그런
당돌함을 좋아하지!
젊었을 때
나 같거든.
그나저나
꽤 건강한
보디가드를 데리고
오셨더구먼….
아이고~,
아야야….
비겁하게 함정을
파놓다니…!
미안해요, 아가씨.
손님을 그런 데다
모셔서.

야, 이 녀석들아,
빨리 일어나!
멍청한 녀석들!
기껏 꼬마 셋에게 당해?
어휴…, 이 멍청이들….
흠—!
빨리 이 나머지 녀석들도
저 속에다 던져버려!

슬비에게 저런 힘이
있을 줄은 몰랐군!
결국은 잡혔지만….
한빛 씨,
댁은 내가 몰래
뒤따라 온 것에 대해
깊은 감사를 해야
할 거요.
곧 나의 은혜를
입게 될 거니까.
어떻게 된 거지?
슬비가 들어가고
30분이 지났는데….
경찰을 불러야 하나….
대체 우리들을 언제까지
가둬둘 거예요?!

나의 복수가
끝날 때까지.
복수?
그래, 복수!
감히 나를
해고시키겠다고?
애송이 가수 주제에
이 나를…?
네 녀석을
가요계에서 아예
매장시켜주마!
기다려라!
몇 가지 계획이
차례로 시행될 거다.
우선 1단계로 민제를
너 대신 콘서트에
내보내야겠지.
나를 어떤 식으로
매장시킨다는 거죠?

민제를 한빛 대신?
어떻게 그런….
엄청나게
끔찍한 짓을!
크하하하
그게 바로 내가
원했던 반응이지.

그런데… 한빛,
너는 그 끔찍한 얘기에
왜 안 놀라는 거지?
이런 불상사가!!
놀라야 하는
이유를 전혀
모르고 있다.
민제를 외삼촌처럼
생각할
테니….
놀랄 턱이
없잖아.
말똥
말똥
….
그건 어찌됐건
당신은 지금
큰 실수를 하고
있어요.
뭐?
나의 완벽한
용모에 실수라니…
그게 뭔 소리여?
우리가
여기에 잡혀서
콘서트 때까지 있으면
우리 부모님들이
가만히 계실 것
같아요?
그으래애—!

흠! 제법
세심한 부분까지
생각을 하셨군.
그 점이라면 크게
걱정 말아요, 아가씨.
민제에게 급히 여행 갔다고
편지 쓰게 했으니까….
하지만
유채의 부모님은
어떡할 거예요?
어머, 슬비야!
내 걱정은 안 해도 돼!
우리 부모님은 며칠 전에
해외로 나가셨으니까….
푼수!
그걸 말하면 어떻게 해!!
아차!
나의 실수!

누가?
좋아, 좋아. 하늘이 나를 돕는군.
착각은 자유다!
누가 도와?
그럼 이제부터 민제를 연습시켜 볼까나…?
엥? 나를 연습시켜요?
당연하지. 내가 좀 비열해도 기본적인 무대 매너와 노래 몇 곡 정도는 지도해줄 배려심 넘치는 사람이라고.
역시 난 착해!
캬 캬 캬
그러니 한빛 너는 민제가 성공적으로 콘서트를 끝낼 수 있도록 기도하라고!

자아—,
민제 넌 올라와서
나랑 연습하자.
후후
탁

하느님,
단군 할아버지,
부처님 아저씨.
민제가
한빛 오빠 대신
공연한다니….
그게 그렇게
큰일이야?
어쨌거나
서지원
씨의
아들인
이상
어느
정도는….
댁의 팬들이
거품 물고
기절하는 모습이
눈에 훤하군요.
한빛 오빠,
너무 괴로워 말아요.
모든 팬들이 다
오빠를 버릴지라도
저만은 오빠를
버리지 않을게요.
일상이
상황극이네.
어느 함정이든
여는 장치가
있을 텐데….

아까 그 남자가
이 근처에서….
아! 있구나.
…그런데,
단추가 왜
저렇게 많아?
모처럼 존재감 좀
과시해보려니까
다된 밥에 초치는군.
도대체 어떤 게
여는 거지?
잘못 누르다간
나도 잡힐 텐데….
에잇—,
그냥 가버려?
안 돼,
모처럼 영웅이 될
기회인데…….
나라도 살고 봐야지,
그냥 가자—.
안 돼, 유채에게
잘 보일 기회는
흔치 않아.

증~말
갈등 생기는군.
워쪄?
모든 문제의 해답은
이 스위치에 있다.
그렇구나.
유독 때를 더 탄 스위치,
바로 이것이다.
덜컹

누구지?
민제 연습이 그새 끝났나?
모두들 무사하니?
조소헌!

소현이가 한빛 오빠보다 멋져 보일 때도 있구나.
과연 첫사랑 자격이 있는 사람이야.
저 이중인격자의 이미지가 달라지는군.
화악
내가 생각해도 멋지다♪
잠시만 참아. 내가 풀어줄게.
대체 어떻게 우리가 여기 있다는 걸 알았니?
우연히 너희를 보고 미행하다가 도와주려고 들어온 거야.

미행하다니….
왜 미행을
하니?
응…, 그…,
그냥 심심해서….
내 취미가 그래.
별 희한한
취미도 있네.
하여간 고마워.
네 덕분에 위기에서
벗어날 수 있게 됐어.
하하―, 뭘.
정말로
멋졌어,
조소헌.
감사 인사는
나중에 하고
이만 나가야지?
그래요!
……
…그런데….

내려올 때는 몰랐는데,
입구가 왜 저렇게 까마득하냐?
뭐, 뭐라고?!

설마….
밧줄도….
안 늘어뜨린 건 아니겠지?
그, 그게 별로 안 높아 보여서….

잠시나마 한빛 오빠보다 멋있게 생각한 내가 잘못이지.

어쩐지 일이 잘 풀리더라.

결론은 인질만 하나 더 늘었다는 거 아냐.

아까 감탄했던 것 모두 취소다!
옴메 기죽어

그런 동화가
있었지….
어느 옛날
궁지에 몰린 남매가
하늘을 향해 드린 기원….
하늘님, 하늘님…,
저희들을 살리시려면
튼튼한 동아줄을 내려주시고
죽이시려면 썩은 동아줄을
내려주세요.
어흥
동아줄이다!

모두들
무사하니?
하느님!
다 올라왔나?
다들 괜찮은
거지?

저어―,
민제….
걱정하지 마. 지금 노래 연습하러 갔어.
걱정 안 해도 될 거야.
이 창문으로 나가면 될 것 같아.
그러자―.

내 노래다!
뭐 해요?
빨리 탈출 안 하고.
오빠…
그렇지!
애들아,
잠시만
기다려봐.
우리…
9회말 역전승
한번 해볼까?

9회 말 역전승? 어떻게?

매니저는 나대신 민제를 이용해서 콘서트를 엉망으로 만드는 게 목적이잖아.

그러니까 반대로 민제인 척하고 연습하다 콘서트에도 나가는 거야.

한빛

콘서트에 나갈 민제

바꿔치기 한 민제

콘서트에 나갈 한빛

매니저가 속아줄까?

그렇구나!

속을걸? 몇 달 동안 민제를 한빛으로 착각한 멍청이니까.

그리고 녀도!

자, 내 말을 이해했으면 아래층으로 가자.

민제의 노래가 어떤지 봐둬야지.

왜?

이 바위섬들아!
민제가 얼마나 엉망인지
직접 봐야 흉내를 낼 거 아냐!
죄다 바보
바이러스에라도
감염된 거 아냐?
똘똘이 슬비까지
왜 저런대?
아항! 그렇구나.
자, 서두릅시다.
그놈들 나오기 전에
어서 어서 움직여요.

Z z
Z Z Z
음야…

촉
한빛 생쥐
통
통
통
착
휴우.
일단 잠입에는
성공했고.

1층엔
잠자는
돼지들밖에
없네.
흥~

연습은
지하실에서
할 거야.
거기 연습실이
있거든.
빨리
지하실로
가자.

응?
으아으~!
저게
내 노래…
라고?!
오! 신이여!
왜 제게 이런
시련을—!!

으으으~
니나노…
춤추며 노래하는 모습임
맙소사─! 이렇게 닭살 돋는 광경은 처음이야! 서지원 선배님의 아들이라기에 어느 정도는 기대했는데….
노래 못하는 줄은 알았지만 진짜 저건 너무했다.
제법 코믹하게 잘하는데…?
누구누구 못지않다.
누구누구라는 게 내가 아는 그 누구는 아니겠지?
…민제.

눈과 귀를
더 고문하지 말고
2층으로 가자.
비이틀~
동감!
휴~.
겨우
탈출했다.
진짜
스릴 넘치는
하루였어.
그렇지?
으응—.

내일부터 매일 와서 도와달라고?
그럼, 매일 유채와 더불어 인생을 논할 수 있겠구나.
에고!
그러고 보니 어제 외박한 거잖아?
어떡하지? 난 엄마한테 죽었다!

대… 대체 왜 그렇게
노려보는 거예요?
혀…엉….

몰라서 묻냐?

네가 멜로디를
제대로 소화해
내기를
기대하진 않았어.
물론 노래에
감정을 불어넣고
부르길 바란 것도
아니야….
그래도 최소한
노래 비슷하게는
불러야 할 것 아냐!
이 웬수야!!

씽~.
내가 뭐
가순가?
내 딴에는
최선을
다한 거란
말이야….
그것도 모르고
형은 괜히 야단이야,
잉잉잉~.
엥 엥 엥
어휴ー.
저걸 내 오빠라 믿고
살아야 하다니…
그래, 그래….
미안하다, 민제.
내가 너무
내 생각만 했어….
내일부턴
내가 나갈 테니
넌 쉬어라.
네?

무슨
말이에요?
매니저의 계획을
눈 앞에서
부숴버리는 게
더 통쾌하잖아.
이렇게 저렇게
해서
주저리주저리
요목조목
쫑알쫑알
쑥덕쑥덕
어쩌고
저쩌고.
…이렇게
하는 거야.
헥
헥…
햐!
간단하면서도
멋진 계획이네요.

하지만
이걸 성공시키기 위해서는
정보가 필요해!
정보?
너의 노래 실력과
춤 실력은
오늘 직접 봤으니깐
어느 정도 흉내는
낼 수 있어….
솔직히
브레이크댄싱보다
어렵지만…
그런데 그것 말고
내가 너라고
믿게 만들 확실한
방법이 없을까?
있어!
김미희 아줌마와
전화 통화하면
되지.

그… 사람과
통화…?
어떻게…?
제법
머리를 쓰네.
매니저가 아줌마의
의심을 피하기 위해
이틀에 한번씩 4시에
통화하라고 했어.
내가…
그 사람과
통화를….
그렇지—.
그거면 매니저의
의심을 확실히
피할 수 있어.

그러면
통화하는 날은
네가 나가는 거야.
안 돼요!
왜?
번갈아 움직이면
아무래도 뭔가
다른 모습이
드러날 수 있다는 건
생각 안 해요?
두 번밖에
안 돼.
한 번으로
들킬 수도
있지요!

후…
됐다, 됐어.
어차피 내가 계획한 것이니까 내가 끝까지 하지.
이젠 만족하쇼?
만족은요, 당연히 해야 할 일인데.
슬비와 한빛 오빠를 보고 있으면 아웅다웅하는 게 꼭 친남매 같아.
남매! 누가? 우리가?

그런
잔인한 소리 하지 마!
누가 이 정도 없는
담벼락과…!
그런
끔찍한 소리 하지 마!
누가 이 열량 남아도는
야만녀와…!
이크-
야만녀?
담벼락?
우당탕탕
쿵쾅
묶이고도
저런 소리가
날 정도로
싸우다니….
쟤들은 지금
자신들의 처지를
전혀 이해
못하는 것 같아.

다음날!
흠!
악!
컥억
컥
크악
악

확실히 오늘도
만족스럽게
못하는군.
그런데…
느낌이 좀….
꼭…
억지로
못한다는….
뭐 상관없지.
곧 판명이
될 테니까.
자,
그만하면 됐다,
민제.
이만하면 돼?
반의반도
못했는데…?

자! 이젠 너의
가짜 엄마에게
전화해야지?
꿀꺽
그… 그렇군요.
오늘도 난
무사하다고 거짓말
해야겠지요?
당연하지.
신호가
간다.
모자간의
즐거운 대화를
나누셔야지.
여보세요?

……….
네가… 한빛이라면…
절대 어머니라고….

어머니! 저에요, 한빛!
오… 아들? 안 그래도 지금쯤 전화 올 거라 생각했지.
어때? 콘서트 준비는 잘 되어가니?
예, 순조로워요.
쫑알 쫑알…
음! 민제 맞구나!

그럼 어머니,
다음에 또 전화
드릴게요.
민제가 맞다면….
자! 연습도 끝났고
전화도 끝났으니까
이젠 2층으로
가야겠죠?
아냐,
오늘부턴 1층에
묵을 거다.
엣?

…눈치 챘나?
왜… 왜요?
내가 한 가지
실수할 뻔해서
그래!
너랑 한빛이
옷 바꾸어 입고
한빛이 너인 척하면
어떻게 하냐?
그러니깐
넌 오늘부터
1층에서 따로 논다.
알겠지?
심심
할거
같지만..

슬비 말
안 들었으면
큰일 날 뻔했어.
안 움직이고,
뭐 하냐?!
읍!
빨리 1층으로
올라갓!
치
아…,
알았어요.
큰 소리는…
쾅
아예
부숴라
부숴ㅡ!

한 빛
한 빛

흠—. 아주 멋져. 진짜 한빛 분위기가 나는군! 가발까지 쓰고 보니까 꼭 같아.
외모만은 한빛보다 못할 게 없는데 말이야.
쯧쯧…
아까운 얼굴

휙
자…, 모두들 웃으라고.
오늘은 한빛 군의 추락이
시작되는 날 아닌가.
당신의 계략이 무너지는 날!

씨—익

안 그런가,
민제?
좋았어,
아주 보기 좋군!
엣?
아…, 예…
명심해라, 서민제.
오늘 무대 위에서
무슨 헛소리를 하거나
끝까지 무대 위에 서지 않으면…
지금 저 애들의 미소는
통곡으로 바뀔 거다.
뚝!

자,
그럼 갈까?
조, 좋아요.
짜—식,
되게 크군.
한빛 오빠!
멋진 무대가
되기를…
잘해요,
한빛 형.
뒤에는 우리가
있어요.

희희낙락한 저 얼굴이 어떻게 구겨질지 궁금하네.
괜찮을까요? 꼬마들이라지만 셋인데 빠져 나오기라도 하면….
쓸데없는 걱정 마. 꽁꽁 묶인 꼬마 세 녀석이 어떻게 고릴라 같은 녀석을 이기냐?
그 세 녀석 중에 킹콩 같은 녀석이 하나 있다면 몰라도.
와하하
족집게다.

들썩
들썩
살려줘! 갑갑해!
자—, 이제 가자!
앗! 가려진다

시끌
시끌..
공연 시간이 다 됐는데 혁은 어디 있지?
분장실에서 준비하고 있을 거야. 우리도 우리 할 일을 하자.
그래.
내가 그 사람을 맡을게!
응—
그럼, 우리 넷은 한 사람만 맡으면 되겠다.

휴게실
관계자외
출입금지
소곤
소곤
젠장!
뭔 수작질을 저렇게 열심히 하는 거야?
모두 내 말 명심하고 각자 맡은 일 철저히 해라, 알겠지?
그만 가봐!
예, 형님!

자, 그럼
슬슬 셀럽들에게
얼굴도장이나
찍어볼까?
싹
내가 옆에
없더라도
얌전히 있는 게
네 친구들을 위해
좋을 거다.
알았지?
예….

쿵
베-
꿈꾸는 건 당신 자유지만 모든 일이 계획대로 될 거라고 생각하지 마.
그나저나 무사히 탈출했는지 걱정되는군. 큰일은 없겠지만 그 덩치 큰 뚱보가 조금 걸리네….
…이런 식의 귀환은 생각도 못했는데….
두 남매에게 큰 신세를 졌어.

너희와 함께한
시간이 있었기에,
무대와 노래에 대한
열정을 되찾을 수
있었던 것 같아.
뭐, 벌써
돌아오고
그러냐.
이, 이게
쉔일이십니까?

아차ㅡ,
담배!
휘
휙
휙
달칵!
매니저,
벌써 일이
끝났….

오랜만이구나, 아들. 그동안 잘 지냈니?
흥! 친아들이 어떻게 됐는지도 모르고 가짜에게 갖은 애정을 다 쏟는구먼.
좋은 공연이 되길 빌어.

고…마워요,
어머니….
근데…
안색이 좀
안 좋구나.
안 좋은 게
당연하지.
그놈에겐
데뷔거든.
…공연
직전엔
긴장돼서
늘 그래요….

엄마….

에헴!
포옹 한번 길다.
저… 죄송하지만… 팬들이 기다리니 시작해야 합니다.
그래, 지금 이러고 있을 때가 아니지…. 어서 가보렴.
예….
한빛, 시간 없다—!
저….
알았어요.
…….

잠깐만ㅡ.
할 말이 남았단다.
쓸데없는 걱정하다
공연 망치지 말고
열심히 돈 벌어
해 뜨는 집 지을 준비
착실히 하라고
전해달라더라.

그 애에게
황혼의 집이나
걱정하라고
전해주세요.
멋진 무대가 되도록
최선을 다할 거라고.
황혼의 집과 해뜨는 집이
무슨 의미인지 몰라도,
그늘 없는
네 웃음을 보는 건
정말 오랜만이구나.

꺄아아—!
한빛 오빠—!
사랑해유!
V.I.P.들이구먼-

뭐… 뭐지?
갑자기 온몸을 스치고
지나간 한기는?
또… 저… 녀석
표정은 뭐야?
저… 당당한 눈빛…,
전신에서 흘러나오는
아우라….
오, 이런―!
저…,
저 녀석은…!!

안돼!

민제야!
아들을 도와줘서
정말 고마워.
고맙긴요,
저를 위한 일이기도
한걸요.

밤도 깊었으니
저희도 이만 가볼게요.
안녕히 가세요.
그래,
조심해서
들어가거라.
그동안
즐거웠다.
또 보자.
네! 꼭! 금방!
또 뵐게요.

너희들
밤샐 각오는
해두는 게
좋을 거다.
고작 편지 한 장
달랑 남겨두고
며칠씩이나
안 들어와?!
일주일 전의
사진
너희들 걱정 하느라
내가 살이 얼마나
빠졌는지 알아?!!
더 쪘다 ─

하루 동안
벌서면서
너희 행동을
반성해! 알았지?
물동이
쾅
에구~,
귀 아파.
슬비야,
고모가 엄청
화났나 봐.
나도
알아.
그리고
엄마의 심정도
이해해.
그런데…,
왜 여자인 내가
너보다 더 힘들게
벌서야 해?!
넌… 힘세잖아.

4
짹짹
짹 짹 짹
3
짹!
앗! 시간 다 됐다.
2
?
놀러온 참새
1
완전 무장 끝!
5:00
서민재!!
안 일어날래
5시야
에게?
놀러온 참새
지지직!

말끔
이게 무슨 일이야?
민제?
벌써부터 나가서 널 기다린다.
네?
뭘 그리 놀라나?

드디어 기적이
일어난 것이다.
외삼촌도, 나도
해내지 못했던
민제의 변신이
한빛과의 인연이
계기가 되어
해결된 것이다.
처음엔 이번도
작심하루일까
의심했으나
이제는 믿는다.
나의 사촌 오빠 서민제.
지나치게 숫기 없어
무엇 하나 제대로
못해내던 그 오빠가
조금씩 나아질 것을!

하나
둘
셋 넷
아 —
심심해
7月

안녕, 슬비!
방학 동안 별일 없이 잘 지냈니?
그래, 넌?

나도 아무 일 없이 잘 지냈어…. 이 나이에 무슨 일이 있었겠냐?

안 그러니?

흥
재들, 안 본 사이에 굉장히 친해진 것 같지 않아?
방학 동안 무슨 일이 있었나?
아무 일도 없었다고 방금 말했잖아, 바보야!

멍-

솔직히 말해봐, 서민제!
뭘?

어느 날 갑자기 팔방미남이 되더니 다시 떨떨해졌나 싶으면 또 이렇게 멋있게 변신하고…. 어떻게 된거야?
…멋있어? 지금 내가?

열심히 하는 모습이 참 멋있어. 조금 서툰 느낌도 있지만 그 점이 오히려 매력적이랄까.

괘씸한 인간!
어떻게 연락 한 번 안 하냐?
그동안 실컷 자유를 누린 데다 모자간의 화해도 이뤘으니 감사의 표시를 해야 할 것 아냐!
내가 너무 구두쇠같이 굴어서 그런가?
칫!
남자가 째째하게…

이봐요,
잠시 동안의
가짜 오라버니…,
알고
있어요?
댁이 내게 뽀뽀한 것,
이젠 다 용서했어요.

여러분의
스타 데이트!
야
Star ☆ Date
안녕하십니까?
오늘도 스타 한 분을 초대해서
그들의 비밀을 한 꺼풀 벗겨보고,
시간이 남으면 두 꺼풀도 벗겨보는
스타 데이트 시간이
돌아왔습니다!
남의 사생활이
왜 궁금한 건지
모르겠다니까.
오늘의 초대 스타는
방송 활동이 없음에도
수많은 팬층을
보유하고 있는
가요계의 혜성
한빛 군입니다.
헤?
한빛 형이?

두근
두근
뭐… 뭐지,
가슴이….
난 들어가서
숙제나 할래.
우유
숙제 할 것
별로 없잖아?
좀 더 보다
가지….
공붓벌레.
자르르
쿵
싫어!
헤~,
한빛 형은
말도 잘하네.

째깍 째깍
에잇―!
집중이 안 되네….
나아쁜 사람.
갑자기 TV에는 왜
출연해가지고….
달칵
응?
야! 민제,
내가 노크 좀
하라고
몇 번…!
이 사진
너 가져….
응?

전부 유채
사진이잖아…?
이걸 왜 내게 주냐?
네 보물 1호라며…?
…이제 필요 없어.
엥?
유채 혼자만
한빛 형 좋아하면
나도 희망을 걸어
보겠는데……,
한빛 형이 아까
방송에서 유채에게
교제 신청하겠다고
선언해버린걸.

그리고 나…
이상하리만치 담담해.
왠지… 유채보다…
다른 애가 자꾸
신경 쓰여.
하나 둘 셋 넷…

쇼 호스트가 한빛 형에게 이상형에 대해 물었는데,
약간 건방지고 얄미운 짓을 할 때도 있지만 공부도 연기도 잘하는, 무엇보다 나를 많이 도와준…, 내겐 모든 게 예쁘게만 보이는 아이입니다….
좋아하는 사람이 있어서 그 사람이 이상형이 됐대.
라고 말하더라고. 딱 봐도 유채잖아…. 방송이 나간 다음 날 꼭 자기 마음을 고백하고 교제 신청하겠대.
유채는 오늘 제정신이 아니겠다.

첫사랑의 상대랑
이루어지는 게
쉬운 일은 아닌데….
그래….
미남 미녀끼리
다 해먹어라….
저말입니까?
(자칭미남)
난 돈 많이
벌어서
하고 싶은 일
하면서
살 거니까!
살다 보면 원래
실연 한두 번쯤
당하는 거 아냐?
내가 댁 때문에
눈물 흘릴 줄 알아?
흥— 이다!

치…. 나도 나중에
댁보다 더 미남이고,
더 노래 잘 부르고,
더 착하고…,
!
첨 볼 때부터
사랑을 느끼는
그런 사람 만나서
재미있게….

안녕, 슬비!
황혼의 집 만드는 데
나도 동참하고 싶은데…,
안 될까?

난 오늘
머리털 나고
처음으로
돈보다…

사람이 먼저
눈에 들어왔다!
그날 밤
앙~!
1분만 지나면
오늘은 다 가는데
한빛 오빠는
왜 안 와….

우리 집안은 역시
가요계와 인연이
깊군.
그러게.
Dr. Lee

역시 내 아들!
네가 정신 차릴 거라고
믿고 있었단다.

저렇게나
따라 다니는데
한번 사귀어줘?
2대에 걸친
실연이군.
유채 아빠
얍
뗑
핑
핑
핑

『또 하나의 이야기』 완결

LEE MI RA SPECIAL EDITION

또 하나의 이야기 2

2023년 4월 25일 초판 1쇄 발행

저자 이미라

발행인 정동훈
편집인 여영아
편집책임 최유성
편집 양정희 김지용 김혜정
디자인 형태와내용사이

발행처 (주)학산문화사
등록 1995년 7월 1일
등록번호 제3-632호
주소 서울특별시 동작구 상도로 282 학산빌딩
편집부 02-828-8988, 8836
마케팅 02-828-8986

ISBN 979-11-411-0339-2 (07650)
ISBN 979-11-411-0337-8 (세트)

값 16,500원